# 월포에는
# 바다가 산다

백기동 시집

## 백기동

1968년 강릉 경포 바닷가에서 태어났다.

2023년 포항 월포 바닷가에서 살고 있다.

# 월포에는
# 바다가 산다

월포에서 노래하는 서정 시집

# 목차

# 추천사

백기동의 이 시집에는, 명시적으로 드러나지는 않지만, 한 인간이 자신을 치유하는 순간들이 담겨져 있다. 시는 세계를 치유하는 것이기도 하지만 이렇게 자신을 치유하게도 한다. 몸의 상처는 직접적인 수술이나 투약을 통해서 치료하지만 마음의 상처는 '말'의 읊조림을 통해서 가능하다는 것을 우리는 알고 있다. 아마도 백기동은 월포 앞바다와 대화를 하면서 그것을 행한 듯하다. 모든 대화는 결국 자기와의 대화다. 자기와의 대화가 수반되지 않는 언어는 대상이나 사물에 대한 명령에 지나지 않게 된다. 시는 바람이나 희구일 수는 있어도 명령은 아니다. 바람이나 희구를 우리는 때로 '희망'이라고 부르기도 하는데, 백기동에게 희망이라는 것은 "오늘을 살아가는 것"과 "내일을 볼 수 있는 것"(「희망과 소원」)이다. 이것은 무엇을 의미하는가? 삶에 상처 입은 존재를 치유하는 것 아닐까? 말하기 쉽지 않지만, 백기동은 바다를 찍고 바다의 말을 들으면서 비로소 살아 있는 숨을 들이마시고 내뱉은 것 같다. 됐다. 누군가에게 시는 이 정도만 되어도 좋은 것이다.(황규관, 시인)

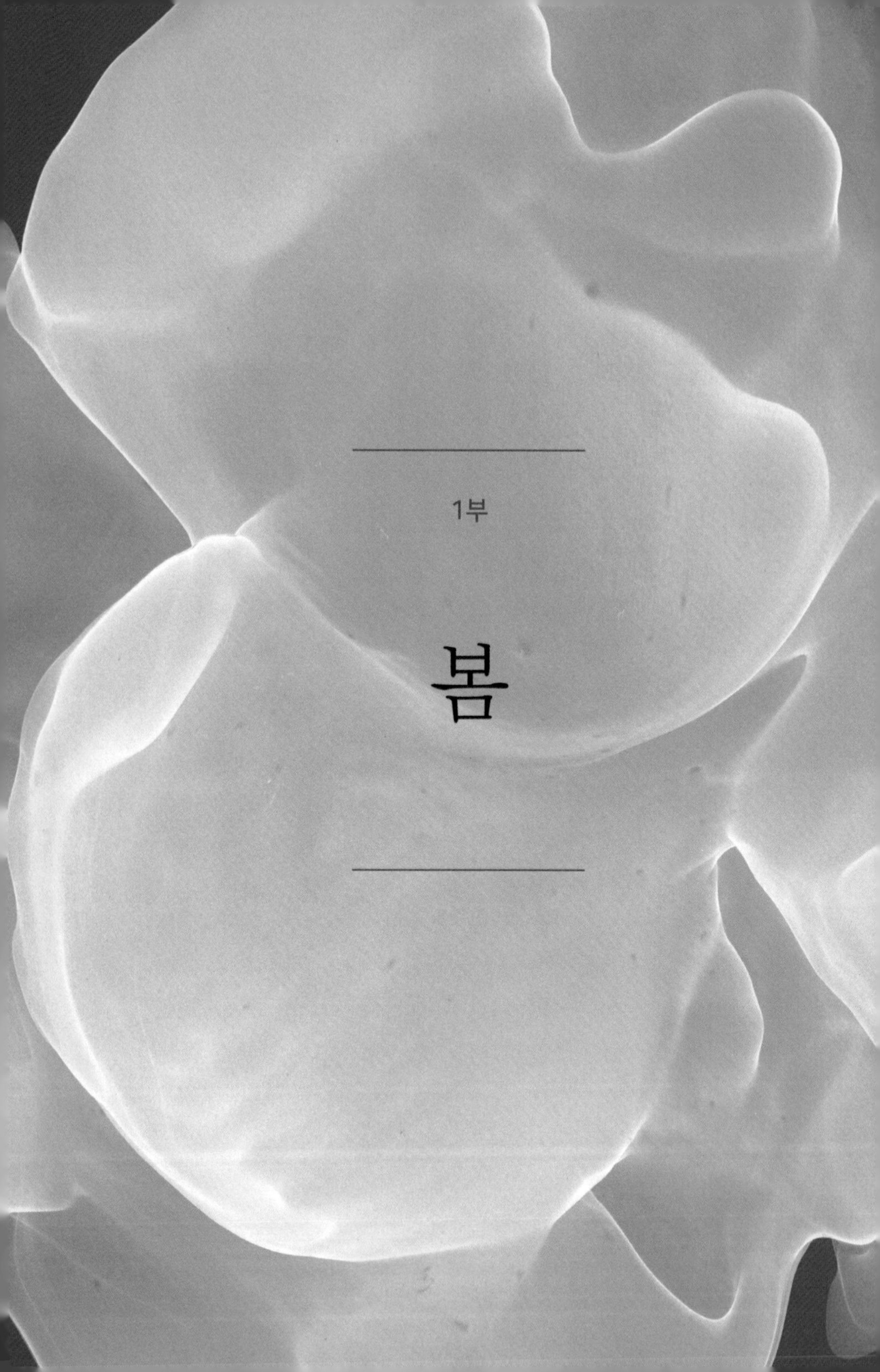

1부

# 봄

# 바다탄생 1

인간에게 길들여진 두 달간의 시간이 바다의 야성을 모두
앗아간줄 알았다
바다 본래의 모습은
파도와 바람과 모래와
그리고

월포바다에서

# 바다탄생 2

하늘과 바다와 땅
오늘 한곳에 모였다
그리고 다음과 같이 결정했다
하늘은 바다 위로
바다는 하늘 밑으로
땅은 바다 옆으로
헤어지기로

월포바다에서

# 봄소리

봄이 태양에 묻혀서
바다로 올라온다
봄소리가 파도에 묻혀서
바닷가로 퍼진다

월포바다에서

# 새벽바다 1

새벽의 바다
새로운 생명이 태어나듯
새로운 하루가 시작되는 곳

월포바다에서

# 봄바다 1

바다에 봄이 오기 시작한다
봄바람에 살랑거리는 파도
코끝을 스치는
따스한 기운이 느껴지는 찬바람
봄이 왔다
바다에도

월포바다에서

# 봄바다 2

봄이 바다에 빠졌다
내 마음도
바다에 빠져버렸다

월포바다에서

# 홀로서기 1

바다에 소리치고 싶은데
바다에 들어가고 싶은데
바다는
그저 날 가만히 보고만 있네
아무것도 안 해도
다 안다는듯이

월포바다에서

# 홀로서기 2

작게 시작한다고
결과도 작은 것만은 아니다
작지만 끈질기게 하루하루를 뛰어 가다 보면
오후에 비치는 눈부신 저 태양만큼이나
온 세상을 다 비칠 수 있으리라

월포바다에서

# 오월바다

나는 기다릴 테요
오월의 찬란한 날을
어느 시인이 기다리는 봄을
이제 보내야 하네
바다도 오늘
오월을 기다리네

월포바다에서

# 봄바다 3

봄에는

파도도

나도

너

만을

생각한다

월포바다에서

# 봄바다 4

급하게 봄이 왔다
지난 겨울에 남아 있던 눈도 내리고
올 여름  더위도 잠깐 찾아오고
그래서 오늘은
봄바다를
가을색으로 물들였다

월포바다에서

# 봄바다 5

파도따라
아침 해랑
바다 길로
봄이
지나고 있다

월포바다에서

# 봄바다 6

봄이 왔어
바다를 건너서
봄이 왔어
우리 엄마 밥상 위로
봄이 왔어
설레는 내 마음속으로

월포바다에서

# 작전

새벽을 노려서
총공격을 감행했다
어제 밤에 내린 비가
하늘에 길을 만들고
새벽 일찍 떠오른 태양이
길을 밝히고
구름 부대를 이끄는
봄 장군이
상륙을 시작했다

월포바다에서

# 봄바람

바람이 분다
날카롭지만 따뜻하고
외롭지만 함께 불고
아무도 반기지 않지만
누구도 싫어하지 않는
바람이 분다

월포바다에서

# 늦봄

봄이 저 멀리 앞서가니
여름이 발 빠르게 쫒아왔다
잘 익은  태양을
앞세우고서

월포바다에서

2부

# 여름

# 태양 1

태양이 붉은 것은
바다가 파랗기 때문이다
뜨거운 열정으로
냉철한 세상을 살아가라고

월포바다에서

# 늦잠

조금씩 더 빨라지는
아침 해 기상 시간
난
조금씩 더 늦어지는
아침맞이 시간

월포바다에서

# 여름바다 1

월포 여름 바다 아침의 솔솔한 풍경들
점점 사랑에 빠지다

월포바다에서

# 여름바다 2

여름에 바다는
매일매일이 활기로 가득 찬
어시장 같다
오늘은 또 어떤 즐거운 일이 벌어질까

월포바다에서

# 여름바다 3

오늘도 엄청 더우려나 보다
아침 일찍 태양이 살며시 내려와
목욕하고 가려고
바다를 온통 안개로 채웠다

월포바다에서

# 태양 2

태양이 동그란 이유는
처음부터 끝까지
자기 모습을 다 보여줄 수 있기 때문이다
우리는
너무 숨기며 사는 게 아닐까

월포바다에서

# 태풍

태풍이 지나가고
여름이 오려고
저 멀리서
해를 말리고 있다

월포바다에서

# 천지창조

나에게 오라
어제로 떠난 사람
작년에 잃어버린 꿈들
어릴 때 보았던 그 추억들
나에게 오라
매일 아침 바다에서
시작하는
천지창조
시간에

월포바다에서

# 여름바다 4

여름에는 바다에 사람이 산다
여름에는 바다도 피서를 간다
그런데 오늘 아침
바다의 주인이 잠시 들렀다

월포바다에서

# 마술

오늘은 또 어떤 일이 벌어질까
오늘은 또 어떤 사람들을 만날까
오늘은 우리에게
한 번도 보여주지 않은 마술을 또 부린다

월포바다에서

# 기지개

새벽 일찍
해 따러 나왔는데
내가 올 줄 알고
벌써 일어나서
기지개를 하고 있다

월포바다에서

# 그리움 1

화창한  오늘을  위해
다시 시작하는  오늘을 위해
그리고 그리운 친구를 위해
기도하자

월포바다에서

# 만남

뜨거운 마음이 솟구치고
조금 더 빨리 달려가고 싶고
절대로 멈추고 싶지 않은
오늘 아침이다

월포바다에서

3부

# 가을

# 홀로서기 3

기다림은 만남을 목적으로 하지 않아도 좋다
가슴이 아프면 아픈 채로
바람이 불면 고개를 높이 쳐들면서
날리는 아득한 미소
홀로서기가 생각나는 오늘

월포바다에서

# 푸른바다 1

회색빛 하늘은
나에게 늘 그리움을 준다
멀리 떠난 자식 생각에
푸른색 바다만 쳐다본다
오늘은 편지를 써야겠다

월포바다에서

# 푸른바다 2

회색빛 하늘
파란 바다
웃음보다는 눈물이
밝은 미래보다는 옛날 추억이
친구보다 엄마가 더 그리운 오늘

월포바다에서

# 희망과 소원

희망이 뭐냐고?
오늘을 살아가는 것
내일을 볼 수 있는 것
소원이 뭐냐고?
엄마랑 같이 아침 먹고
친구와 점심 먹고
저녁에 식구랑 잠드는 거
이게 전부야

월포바다에서

# 그리움 2

코끝을 스치는 바닷바람이
오늘따라 더 살갑게 느껴지는 건
아마도
어제밤 널 그리며 뒤척이다
이른 새벽 널 보니
너무 너무 반가워서겠지

월포바다에서

# 새벽바다 2

해가 뜨기 전 바다를  만났다
어제 밤 늦게 놀러온 구름이
아직 올라가지 못하고
새벽 일찍 떠나는 배만 보고 있다

월포바다에서

# 홀로서기 4

바다는 항상 그곳에서
변함이 없건만
나는
방금먹은 마음도
금세
사방으로 흐트러진다

월포바다에서

# 바다 청소

오늘 아침 바다는
대청소를 시작한다
바람으로
검은 먹구름을 쓸어모아
바다에서 시뻘건 불을 피워
여름을 태워버렸다

월포바다에서

# 회색빛 바다

회색빛 가득한 바다는
그리움만 가득한 바다는
누군가를 기다리는 바다는
멀리 공부하러  나간 자식이
그리워지게 한다

월포바다에서

# 홀로서기 5

아무것도 하기 싫을 때
아무거나 해보고
아무도 보고 싶지 않을 때
아무나 만나보고
아무것도 생각나지 않을 때
그때는 바다에 가자

월포바다에서

# 그리움 3

그리움과 반가움을
아침과 저녁을
늘 함께
할 수 있는 사람이
그리워진다
어디쯤 있을까?

월포바다에서

# 홀로서기 6

바다는
어제와 오늘이 똑같을까
내일과 오늘이 다를까
나는
어제인지 오늘인지 내일인지 모른 채
아직도 바다에 있다

월포바다에서

# 시작과 끝

바다에서 시작해서
바다에서 끝이 나고
오늘에서 시작해서
오늘에서 끝이 나듯
너를 향한 내 마음도
너에게서 시작해서 너에게로
끝이 난다

월포사랑

4부

# 겨울

# 시작하기 1

매일
새롭게 시작하기
어제와는 다르게
매일
똑같이 시작하기
어제와 똑같이

월포바다에서

# 겨울맞이

겨울이 온다
봄을 기다리려고
겨울이 온다
가을을 보내려고
겨울이 온다
여름을 잊으려고

월포바다에서

# 새벽바다 3

새벽이  행복하다고
속삭이는  바다
새벽이 즐겁다고
소리지르는 나

월포바다에서

# 바다 사랑 1

내가 살아 있다고 느낄 때
내가 행복을 느낄 때
내가 슬픔을 느낄 때
내가 사랑하고 싶을때
언제나 늘 내 곁엔
바다가 있었다

월포바다에서

# 바다 사랑 2

처음 보는 것도 아닌데
가슴이 떨리고
심장이 쿵닥거리고
행여나 다칠까 봐
조심 조심
너를 쳐다본다

월포바다에서

# 바다 탄생 3

우주와 지구가 가장 먼저 만나는 곳
천지창조가 이루어지는 곳
아침이 시작되는 곳
그리고
슬픔을 잊고 다시 삶을 시작하는 곳
이곳이 바로 바다이다

월포바다에서

# 바다 사랑 3

매일매일 조금씩 더 빨리 나선다
아차 하다간 널 보지 못한다
그래도 넌 언제나
그 자리에서 나를 반긴다

월포바다에서

# 시작하기 2

하루의 소중함을

아침 일찍부터 느끼기

하루는 내일을 위한 시간

하루는 오늘을 위한 시간

하루는 삶의 연속이다

월포바다에서

# 밤바다

바다 위에 뜬 달
파도 소리 듣고 싶어
어젯밤부터  왔답니다

# 겨울바다

영하10도
태양은 뜨겁게 불타오르고
파도는. 얼어버릴까
열심히 앞뒤로 움직이고
갈매기는 어디서도 보이지 않네

월포바다에서

# 새벽

새벽에서 아침까지
1월부터 12월까지
많은 것이 변하지만
변하지 않는 것들도
바다
파도
갈매기
태양
그리고
너를 향한 나의 마음도

월포바다에서

# 기해년

기해년 복터지게 살자

월포바다에서

# 아침 해

매일 떠오르는
저 뜨거운 아침 해는
새로운 것일까?
아니면
어제와 같은 것일까?
나의 오늘 하루도
새로운 걸까?
반복되는 걸까?

월포바다에서

# 월포에는 바다가 산다

발행일 | 2024년 2월 16일

지은이 | 백기동
펴낸이 | 마형민
기　획 | 임수안
편　집 | 김재민
펴낸곳 | (주)페스트북
주　소 | 경기도 안양시 안양판교로 20
홈페이지 | festbook.co.kr


ISBN 979-11-6929-447-8 03810
값 16,000원

* (주)페스트북은 '작가중심주의'를 고수합니다. 누구나 인생의 새로운 챕터를 쓰도록 돕습니다. Creative@festbook.co.kr로 자신만의 목소리를 보내주세요.